E F G

L M N

R S T U

Y Z

To

From

Original edition published in English under the title **ABC Prayers** Lion Hudson IP Ltd, Oxford, England.

ABC のおいのり

2021年10月1日発行
2022年10月20日再刷

絵　カミーユ・ベルナール
文　結城絵美子
原文　ミリアム・ボーディック

発行　いのちのことば社〈フォレスト ブックス〉
164-0001 東京都中野区中野 2-1-5
編集　Tel.03-5341-6924 Fax.03-5341-6932
営業　Tel.03-5341-6920 Fax.03-5341-6921
乱丁落丁はお取り替えします。
Printed in China

ISBN978-4-264-04264-8

ABC のおいのり

絵　カミーユ・ベルナール

文　結城絵美子

原文　ミリアム・ボーディック

Forest Books

Aa *Aa*

Angel「てんし」

かみさま、おやすみなさい。

ほしとつきを　つくられたあなたを、

てんしも　ほめたたえます。

Bb *Bb*

Bible「せいしょ」

かぞく　みんなで

せいしょを　よみました。

こころが　あかるく　なりました。

Cc *Cc*

Christ「キリスト」

キリストが　よみがえられた

イースター。

わたしは　はるが　だいすきです。

Dd *Dd*

Delight「よろこび」

おたんじょうびは、

いのちがうまれた　よろこびのひ。

このいのちを　ありがとうございます。

E

Ee *Ee*

Enjoy「たのしむ」

おはなを　つむのは　たのしいです。

おばあちゃんにあげると　うれしくなります。

かみさま、おはなを　さかせてくれて

ありがとう。

Ff *Ff*

Family「かぞく」

わたしのかぞくは、

おとうさんと　おかあさんと　きょうだいと、

それから、

かみさまをしんじる　みんなです。

Gg *Gg*

Grape「ぶどう」

イエスさまは　ぶどうのき。

わたしたちは　そのえだ。

しっかりくっついていれば

あまいみが　なります。

Hh *Hh*

Honey「はちみつ」

たのしいときも　かなしいときも、

はちみつのように　あまい

かみさまのみことばを　あたえてください。

I

Ii *Ii*

Ice「こおり」

くうきが、

こおりのように　つめたいひでも、

ともだちとあそべば　たのしいひ。

かみさま、ともだちを　ありがとう。

Jj *Jj*

Jesus「イエス」

イエスさまが　まんなかにいると、

あのこ　とも、このこ　とも、

てをつなげます。

K

Kk *Kk*

King「おう」

イエスさまは　へいわのおう。

わたしたちに　やさしいこころと

へいわをください。

L l *Ll*

Love「あい」

あいするって、じぶんとおなじくらい

あいてのことを　だいじにすること。

かみさま、わたしを　あいしてくれて

ありがとう。

Mm *Mm*

Morning「あさ」

あさが　きました。

きょうは　どんなひに　なるかな。

かみさま、きょうも

わたしといっしょに　いてください。

Nn *Nn*

Night「よる」

とくべつ　おおきな

ほしが　かがやくよる、

イエスさまが　うまれてくださいました。

かみさま、イエスさまをありがとう。

Oo *Oo*

Only「たったひとりの」

イエスさまにとって、

わたしたちはみんな、

たったひとりの　たからもの。

だからみんな　だいじなひとです。

Pp *Pp*

Peace「へいわ」

とりあうよりも

わけあうことが　できますように。

かみさまのくださる　へいわを

だいじに　できますように。

Qq *Qq*

Quiet「しずかな」

かなしいときには　かみさまと

しずかなじかんを　もてますように。

なぐさめのことばを　あたえてください。

Rr *Rr*

Rejoice「よろこぶ」

みんなでいっしょに

よろこび　うたおう。

かみさまが　わたしたちを

あいしてくださるから。

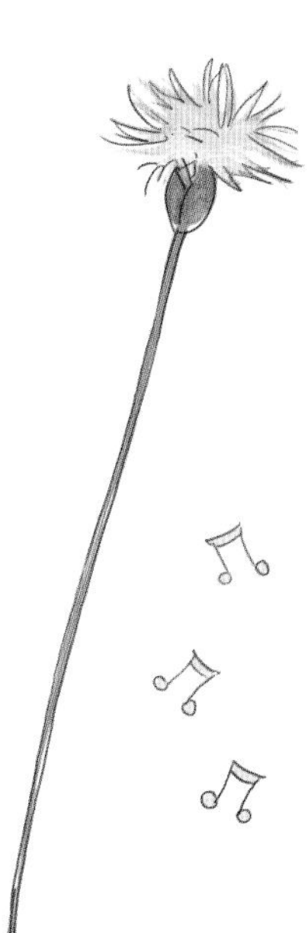

Ss *Ss*

Sparrow「すずめ」

かみさまは

どのすずめも　ぜんぶしっていて、

みまもっているって　ほんとうですか。

なんでもしっている　やさしいかみさまに

かんしゃします。

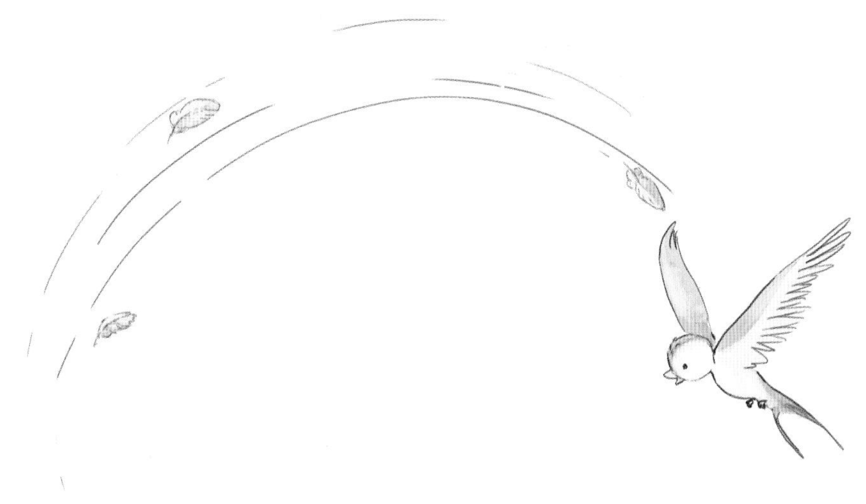

Tt *Tt*

Trust「しんらいする」

しんらいするって、

しんじて　ついていくこと。

わたしには、しんらいできる

かみさまがいて　よかったです。

Uu *Uu*

Unite「ひとつになる」

とおくにすんでいる

たいせつな　あのこ　とも、

おいのりで　ひとつになれるから

かんしゃします。

Vv *Vv*

Victory「しょうり」

どんなにつよく　かぜがふいても、

わたしたちが　まけないように、

かみさま、

しょうりを　あたえてください。

W

かみさまが　つくられた

うつくしい　せかい。

いつまでも　たいせつにします。

World「せかい」

X

X x *𝒳 𝓍*

Xmas「クリスマス」

イエスさまが　うまれてくださったから、

クリスマスは　うれしくて　しあわせで　あったかい。

みんなで　クリスマスを　おいわいします。

Y

Y y *Y y*

Yesterday「きのう」

きのうも

きょうも　あしたも、

ずっといっしょに　いてくださるかみさま。

そのことを　わすれないで　いられますように。

Zz 𝒵𝓏

Zip「げんき」

きょういちにちの

ちからを　ありがとうございました。

あしたも　わたしたちが

げんきで　いられますように。

アーメン。

a b c d e
g h i j 
n o p
u v

f

k l m

q r s t

w x y z